Cylch Ti a Fi
Aston

Y FEIPEN ENFAWR

Anne Brooke

Lluniau gan Roger Bowles

Argraffiad cyntaf—Mai 1996

ISBN 1 85902 222 7

Dymuna'r cyhoeddwyr gydnabod cymorth Adran Ddylunio Cyngor Llyfrau Cymru.

Mae'r gyfrol hon yn rhan o brosiect a noddir gan y Swyddfa Gymreig a Phrifysgol Morgannwg.
This book is part of a project funded by the Welsh Office and the University of Glamorgan.

Argraffwyd gan
Wasg Gomer, Llandysul, Dyfed

Un tro roedd merch fach o'r enw Betsan yn byw gyda'i mam-gu a'i thad-cu mewn tŷ ar ochr y mynydd.

Y tu ôl i'r tŷ roedd gardd fach ac ar dop yr ardd roedd mochyn a milgi a llygoden fach yn byw.

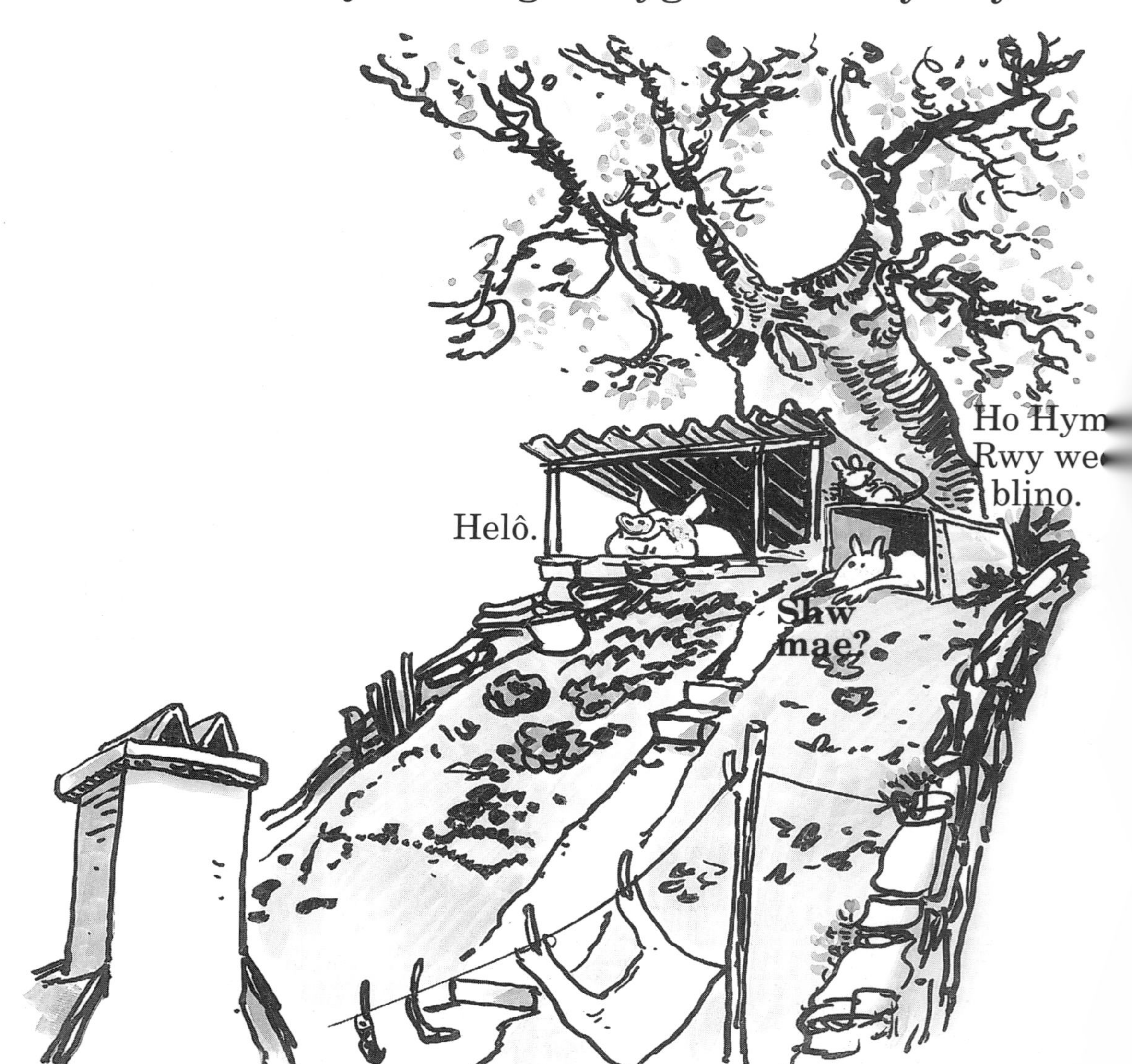

Un bore braf aeth Tad-cu allan i'r ardd i blannu meipen. Roedd pawb yn ei helpu e

Wel—pawb ond un.

Fe ddaeth yr haul. Fe ddaeth y glaw.

Dechreuodd y feipen fach dyfu.
Ond yn anffodus dechreuodd y chwyn dyfu hefyd.

Felly un bore aeth Tad-cu allan i'r ardd i dynnu'r chwyn. Unwaith eto roedd pawb yn rhoi help llaw iddo fe

Wel—pawb ond un.

Wedyn dyma'r feipen
yn tyfu

ac yn tyfu

AC YN TYFU.

Edrych!
Mae’r feipen yn fawr.

Edrych!
Mae’r feipen
yn fwy.

EDRYCH!
MAE’R FEIPEN
YN ENFAWR!

Yna un bore aeth Tad-cu allan i'r ardd i godi'r feipen. 'Mae'n barod o'r diwedd,' meddai fe. 'Fe gawn ni gawl maip i ginio.'

OND er iddo fe dynnu **a** thynnu, methodd e godi'r feipen enfawr.

Galwodd Tad-cu ar Mam-gu oedd yn rhoi dillad ar y lein. ‘Wnei di ddod i helpu?’ meddai fe.

‘Gwna’, wrth gwrs,’ meddai hi. ‘Fe gawn ni gawl maip i ginio.’

OND er i Mam-gu dynnu Tad-cu a Tad-cu dynnu **a** thynnu, methon nhw godi'r feipen enfawr.

Galwodd Mam-gu ar Betsan oedd yn chwarae sgipio. ‘Wnei di ddod i helpu?’ meddai hi.

‘Gwna’, wrth gwrs,’ meddai Betsan. ‘Fe gawn ni gawl maip i ginio.’

OND er i Betsan dynnu Mam-gu a Mam-gu dynnu Tad-cu a Tad-cu dynnu **a** thynnu, methon nhw godi'r feipen enfawr.

Galwodd Betsan ar y mochyn oedd yn gorwedd yn y twlc. 'Wnei di ddod i helpu?' meddai hi.

'Gwna', wrth gwrs,' meddai'r mochyn. 'Fe gawn ni gawl maip i ginio.'

OND er i'r mochyn dynnu Betsan a Betsan dynnu Mam-gu a Mam-gu dynnu Tad-cu a Tad-cu dynnu **a** thynnu, methon nhw godi'r feipen enfawr.

Galwodd y mochyn ar y milgi oedd yn rhedeg rownd a rownd yr ardd. ‘Wnei di ddod i helpu?’ meddai fe.

‘Gwna’, wrth gwrs,’ meddai’r milgi. ‘Fe gawn ni gawl maip i ginio.’

OND
er i'r milgi dynnu'r
mochyn

a'r mochyn
dynnu Betsan

a Betsan dynnu
Mam-gu

a Mam-gu dynnu
Tad-cu a Tad-cu
dynnu **a** thynnu,
methon nhw
godi'r feipen
enfawr.

Galwodd y milgi ar y llygoden fach oedd yn cysgu yn yr haul. 'Wnei di ddod i helpu?' meddai fe.

'Ho Hym! Gwna',' meddai'r llygoden fach yn ei chwsg. A dechreuodd hi freuddwydio am gael cawl maip i ginio.

Wel dyma'r llygoden fach yn tynnu'r milgi a'r milgi'n tynnu'r mochyn a'r mochyn yn tynnu Betsan a Betsan yn tynnu Mam-gu a Mam-gu'n tynnu Tad-cu a Tad-cu'n tynnu **a** thynnu

A C W Y T T I'N
G W Y B O D B E T H?

Yn sydyn reit P O P! I fyny daeth y feipen.

Ho Hym!
Rwy wedi blino'n lân.

A chafodd pawb gawl maip i ginio.

Wel—pawb ond un.

A dyna ddiwedd y stori.

Y FEIPEN ENFAWR
The Enormous Turnip

5 **Un tro roedd merch fach o'r enw Betsan yn byw gyda'i mam-gu**
Once there was a little girl named Betsan living with her grandmother
a'i thad-cu mewn tŷ ar ochr y mynydd.
and her grandfather in a house on the side of the mountain.

6 **Y tu ôl i'r tŷ roedd gardd fach ac ar dop yr ardd roedd mochyn**
Behind the house there was a little garden and at the top of the
a milgi a llygoden fach yn byw.
garden there lived a pig and a greyhound and a mouse.
(Helô. Shw mae? Ho Hym! Rwy wedi blino.)
(Hello. How are things? Ho Hym! I'm tired.)

7 **Un bore braf aeth Tad-cu allan i'r ardd i blannu meipen.**
One fine morning Grandfather went out to the garden to plant a turnip.
Roedd pawb yn ei helpu e
Everybody helped him
y mochyn yn palu'r ardd y milgi'n gwneud twll
the pig digging the garden the greyhound making a hole
Mam-gu a Betsan yn dod â dŵr.
Grandmother and Betsan bringing water.

8 **Wel—pawb ond un.**
Well—everybody but one.
(Ho Hym! Rwy wedi blino.)
(Ho Hym! I'm tired.)

9 **Fe ddaeth yr haul. Fe ddaeth y glaw.**
The sun came. The rain came.
Dechreuodd y feipen fach dyfu.
The little turnip began to grow.
Ond yn anffodus dechreuodd y chwyn dyfu hefyd.
But unfortunately the weeds began to grow too.

10 **Felly un bore aeth Tad-cu allan i'r ardd i dynnu'r chwyn.**
So one morning Grandfather went out to the garden to pull up the weeds.
Unwaith eto roedd pawb yn rhoi help llaw iddo fe
Once again everyone helped him
y milgi'n tynnu'r chwyn y mochyn yn eu casglu nhw at ei gilydd
the greyhound pulling up the weeds the pig gathering them together
Mam-gu a Betsan yn eu rhoi nhw mewn sach.
Grandmother and Betsan putting them in a sack.

11 **Wel—pawb ond un.**
Well—everybody but one.
(Ho Hym! Rwy wedi blino.)
(Ho Hym! I'm tired.)

12/13 **Wedyn dyma'r feipen**
Then the turnip

yn tyfu	**Edrych!**
grew	Look!
	Mae'r feipen yn fawr.
	The turnip is big.
ac yn tyfu	**Edrych!**
and grew	Look!
	Mae'r feipen yn fwy.
	The turnip is bigger.
AC YN TYFU.	**EDRYCH!**
AND GREW.	LOOK!
	MAE'R FEIPEN
	THE TURNIP IS
	YN ENFAWR!
	ENORMOUS!

14 **Yna un bore aeth Tad-cu allan i'r ardd i godi'r feipen.**
Then one morning Grandfather went out to the garden to pull up the turnip.
'Mae'n barod o'r diwedd,' meddai fe. 'Fe gawn ni gawl maip i ginio.'
'It's ready at last,' he said. 'We'll have turnip soup for dinner.'

15 **OND er iddo fe dynnu *a* thynnu, methodd e godi'r**
BUT although he pulled *and* pulled, he was unable to pull up the
feipen enfawr.
enormous turnip.

16 **Galwodd Tad-cu ar Mam-gu oedd yn rhoi dillad ar y lein.**
Grandfather called to Grandmother who was putting clothes on the line.
'Wnei di ddod i helpu?' meddai fe.
'Will you come to help?' he said.
'Gwna', wrth gwrs,' meddai hi. 'Fe gawn ni gawl maip i ginio.'
'Yes, of course,' she said. 'We'll have turnip soup for dinner.'

17 **OND er i Mam-gu dynnu Tad-cu a Tad-cu dynnu *a* thynnu,**
BUT although Grandmother pulled Grandfather and Grandfather pulled
methon nhw godi'r feipen enfawr.
and pulled, they were unable to pull up the enormous turnip.

18 **Galwodd Mam-gu ar Betsan oedd yn chwarae sgipio.**
Grandmother called to Betsan who was playing skipping.
'Wnei di ddod i helpu?' meddai hi.
'Will you come to help?' she said.
'Gwna', wrth gwrs,' meddai Betsan. 'Fe gawn ni gawl maip i ginio.'
'Yes, of course,' Betsan said. 'We'll have turnip soup for dinner.'

19 **OND er i Betsan dynnu Mam-gu a Mam-gu dynnu**
BUT although Betsan pulled Grandmother and Grandmother pulled
Tad-cu a Tad-cu dynnu *a* thynnu, methon nhw
Grandfather and Grandfather pulled *and* pulled, they were unable to
godi'r feipen enfawr.
pull up the enormous turnip.

20 **Galwodd Betsan ar y mochyn oedd yn gorwedd yn y twlc.**
Betsan called to the pig who was lying in the pigsty.
'Wnei di ddod i helpu?' meddai hi.
'Will you come to help?' she said.

'Gwna', wrth gwrs,' meddai'r mochyn. 'Fe gawn ni gawl maip
'Yes, of course,' said the pig. 'We'll have turnip soup
i ginio.'
for dinner.'

21 **OND er i'r mochyn dynnu Betsan a Betsan dynnu Mam-gu**
BUT although the pig pulled Betsan and Betsan pulled Grandmother
a Mam-gu dynnu Tad-cu a Tad-cu dynnu *a* thynnu, methon
and Grandmother pulled Grandfather and Grandfather pulled *and* pulled,
nhw godi'r feipen enfawr.
they were unable to pull up the enormous turnip.

22 **Galwodd y mochyn ar y milgi oedd yn rhedeg rownd a rownd yr**
The pig called to the greyhound who was running round and round the
ardd. 'Wnei di ddod i helpu?' meddai fe.
garden. 'Will you come to help?' he said.
'Gwna', wrth gwrs,' meddai'r milgi. 'Fe gawn ni gawl maip i ginio.'
'Yes, of course,' said the greyhound. 'We'll have turnip soup for dinner.'

23 **OND er i'r milgi dynnu'r mochyn a'r mochyn dynnu Betsan**
BUT although the greyhound pulled the pig and the pig pulled Betsan
a Betsan dynnu Mam-gu a Mam-gu dynnu Tad-cu a Tad-cu
and Betsan pulled Grandmother and Grandmother pulled Grandfather
dynnu *a* thynnu, methon nhw godi'r
and Granfather pulled *and* pulled, they were unable to pull up the
enormous turnip.
feipen enfawr.

24 **Galwodd y milgi ar y llygoden fach oedd yn cysgu yn yr haul.**
The greyhound called to the mouse who was sleeping in the sun.
'Wnei di ddod i helpu?' meddai fe.
'Will you come to help?' he said.
'Ho Hym! Gwna',' meddai'r llygoden fach yn ei chwsg. A dechreuodd
'Ho Hym! Yes,' said the mouse in her sleep. And she began
hi freuddwydio am gael cawl maip i ginio.
to dream about having turnip soup for dinner.

25 **Wel dyma'r llygoden fach yn tynnu'r milgi a'r milgi'n tynnu'r**
Well the mouse pulled the greyhound and the greyhound pulled
mochyn a'r mochyn yn tynnu Betsan a Betsan yn tynnu Mam-gu
the pig and the pig pulled Betsan and Betsan pulled Grandmother
a Mam-gu'n tynnu Tad-cu a Tad-cu'n tynnu *a* thynnu
and Grandmother pulled Grandfather and Grandfather pulled *and* pulled
AC WYT TI'N GWYBOD BETH?
AND DO YOU KNOW WHAT?
(Wedi blino. SSSS)
(Tired. SSSS)

26 **Yn sydyn reit POP! I fyny daeth y feipen.**
Suddenly POP! Up came the turnip.
(Ho Hym! Rwy wedi blino'n lân.)
(Ho Hym! I'm completely worn out.)

27 **A chafodd pawb gawl maip i ginio.**
And everybody had turnip soup for dinner.
(**Dyma beth rwy'n galw cawl da.** **Cawl rhagorol.** **Gwych.)**
This is what I call good soup. Splendid soup. Wonderful.)
(Campus. **Ardderchog.)**
(First-class. Excellent.)

28 **Wel—pawb ond un.**
Well—everybody but one.
(**Nos da.)**
(Good night.)
A dyna ddiwedd y stori.
And that's the end of the story.